Richard Scarry 理查德·斯凯瑞 [美]

斯凯瑞
最受欢迎的故事

贵州出版集团
贵州人民出版社

会说话的面包

面包师哈布丁正在和面，全能面包师嘭嘭
也来帮忙啦。哈布丁的女儿哈妮站在旁边，抱
着会说话的布娃娃，高兴地看着爸爸揉面团。

他们又揉又捏把面和好后，再把面团
拍打成各种花样和大小的面包条。

然后，面包师哈布丁把做好的面包
条放到烤炉里，开始烤面包了。

面包烤好了，哈布丁把它们拿出来，放在
桌子上晾凉。嗯！新出炉的面包真香啊！

妈妈！

终于，最后一个面包也出炉了。

听！你听到没有？
当哈布丁铲起这个面包的时候，它喊了一声："妈妈！"
可是谁都知道，面包是不可能说话的。

一定是闹鬼了！

"快给墨菲警官打电话！"哈布丁吓
得大喊，拉起女儿就往屋外跑。

墨菲警官骑着摩托车赶到了哈布丁家。

他捡起地上那个会说话的面包。

"妈妈！"面包又叫了起来。

墨菲警官被吓了一大跳，摔到了和面槽里。

这时，小屁孩儿和蚯蚓
爬爬也来到哈布丁家里。

爬爬说:"这可真是件稀奇事儿啊!"他边说着边扭动身体,慢慢爬向面包。

爬爬啃了一小口。
面包没有说话。

爬爬使劲往里钻,只剩下脚还露在外面。
可是,面包还是不出声。

妈妈!

爬爬站起身来。
面包喊了一声:"妈妈!"

爬爬又啃了一口面包,他的脑袋钻了出来。

"我解开这个谜了!"爬爬对大家说,"你们把面包慢慢地掰开,不过……可别把我掰断啊!"

我的娃娃!

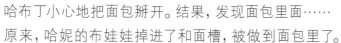

哈布丁小心地把面包掰开。结果,发现面包里面……
原来,哈妮的布娃娃掉进了和面槽,被做到面包里了。

奇怪的事情终于被弄清楚了,大家都坐下来吃这个"闹鬼"的面包。
所有人都在吃,不过爬爬除外,呵呵,因为他早就吃饱了。

爬爬,你不吃就算了!请别把脚放在桌子上哦!

三个钓鱼好手

爸爸带着小屁孩儿和蚯蚓爬爬去钓鱼。

他们开着小摩托艇离开了岸边，向湖中心驶去。

到了目的地，爸爸说："把锚抛下去吧，爬爬。"
爬爬抛出锚……哎呀，他自己也跟着掉下去了！

爬爬全身湿漉漉地爬回船上。
爸爸已经在专心钓鱼了。

这是怎么搞的，爸爸钓上来一辆破自行车。他们想要的可不是什么破自行车，而是鲜美的大肥鱼呀！

一不留神，小屁孩儿也掉进了水里。
真没想到，这样的事儿又发生了。

爸爸赶紧把小屁孩儿拉上船。
哦，看呀！小屁孩儿竟然"背"上来一条鱼！

爸爸又钓了一阵子，可他还是什么也没钓着，
这可真让他烦透了。
"咱们回家吧。"爸爸失望地说，"这里根本
就没有鱼！"

船要靠岸了，爸爸从船里跳出来的时候
脚下一滑——掉进了水里！
哦，乖乖！这下他可气疯了！

不过，他怎么喊得那么大声啊？

啊哈！原来是一条大鱼咬住了爸爸的尾巴。

这条大鱼还以为爸爸的尾巴是美味的食物呢！多亏爸爸的尾巴够结实，一下就把大鱼拽到了岸上。

就只有爬爬什么也没有抓到了……

哇！

爬爬摘下帽子，你发现他脑袋上顶着什么了吗？对，是条小鱼！

干得不错，爬爬！

呵呵，真是三个钓鱼好手！

万能修先生

万能修先生能修理**所有的东西**。
他跟我可是这么说的。

他修好了菲菲小拖车上的轮子。

他修好了咪咪太太的汽车。

哇，山姆大叔的船坏得可不轻啊！
不过这也难不倒万能修先生。
他修过的船就不会再漏水了。

万能修先生补好校车的轮胎。
天啊，是不是该停手了？

他还会修坏掉的路灯。
波恩先生，小心啊！看你
都把车开到哪儿去了？

玛丽的布娃娃不能叫"妈妈"了。
万能修先生把它给修好了，可是这回
布娃娃叫起"爸爸"来了。

万能修先生帮猫妈妈修理吸尘器。
　　不过，他出了点差错，吸尘器不吸地板，
改成吸天花板了。
　　万能修先生安慰猫妈妈，说她的运气真不
错，因为只有她才有这样的吸尘器。

万能修先生还把蚯蚓爬爬的鞋给修好了。

"你可真是个天才！"爬爬说，"我敢肯定，没什么是你不能修的。"

"没错，爬爬。"万能修先生说，"我能修所有的东西。"

万能修先生回到家。太太亲了他一下，对他说："我来做晚饭，你把奶瓶拿给小万能修吧。"

万能修先生把奶装到奶瓶里，可是，他不知道怎么安上奶嘴。

他怎么也安不上，急得手忙脚乱。
瞧瞧，他给弄得一团糟。

小万能修说："爸爸，我来试试。"

"根本就安不上。"万能修先生说。不过，他还是把奶瓶递给了儿子。哈哈，小万能修呀，一下子就把奶嘴给安上了！

"嘿，真神了！"万能修先生说，"教教我是怎么安的。"

呵呵，万能修先生，耐心等会儿吧，让小万能修喝完奶，再教你怎么安奶嘴吧。

特别邮递

小熊嘟嘟给奶奶写了一封信，
祝奶奶生日快乐。

妈妈带她去邮局寄信。

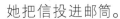

小熊嘟嘟买了一张
航空邮票，粘到信封上。

她把信投进邮筒。

邮递员给每封信都盖上邮戳。

邮戳告诉你信从哪里寄来。信封上
的地址表示信要寄到哪儿去。

工作镇北大街
熊奶奶（收）

小熊嘟嘟
忙忙碌碌镇

忙忙碌碌镇邮局为附近每个城镇都准备了一个专门的柜子。邮政局长贝利大叔会根据每封信上的地址，把所有寄往同一个镇子的信，都放到同一个柜子里。

然后，贝利大叔把寄往工作镇的信放进一个邮包里。

他把邮包运到了忙忙碌碌镇机场，送上飞机。

飞机起飞了，朝着奶奶住的工作镇飞去。那里有个邮递员正在机场等着呢。他接到邮包后，就会送到镇子上的邮局。

邮差根据每封信上的地址，把信分别送到镇上不同的地方。

镇子北部

镇子南部

镇子东部

镇子西部

邮差吉坡的邮包很快就装满了。最后一封信怎么也装不进去，他就把信塞到了帽子里。

等一等！等一等！
我的生日贺信呢？

奶奶，对不起哦！

奶奶一直在等嘟嘟写给她的生日贺信。吉坡却从她家门口
走过去了，他说包里根本没有奶奶的信。

奶奶只好请他帮忙
再好好找一找。

还是没有，奶奶觉得很失望。
吉坡摘下帽子跟奶奶道别。这时，一封信掉
了出来——正是嘟嘟写给奶奶的信！

"哦，亲爱的吉坡！"奶奶说，"太谢谢你了，终于
收到嘟嘟的信了！"

奶奶太高兴了，给了吉坡一个大大的吻。还有什么
事儿能比收到孙女的祝福更开心的呢！

亲爱的奶奶：
生日快乐！
爱你的嘟嘟

17

爱摔跟头的大脚

大脚要去超市帮妈妈买汤罐头。
妈妈嘱咐他要小心，别绊倒。
大脚说："我什么时候绊倒过啊！"

1 正说着，大脚被绊了一下，摔出了门外。

2 他从婴儿车上翻了过去。

3 哈，刚好摔到超市里。

4 大脚和杂货商撞了个正着。

5 接着，又撞到了熟食店主的身上。

6 大脚又绊了一下。结果，汤罐头都掉到了地上。

7 哎哟！又高又壮的河马夫人挡住了他的路。

"我可不能再摔跟头啦！"
大脚对自己说。

8 出门时，他还是一个跟头，从收银员身上飞了过去。

回家的路上，大脚没有被绊倒。表现不错哦！
晚上他还帮妈妈做了一大锅美味的汤。

9 可是盛汤的时候，大脚却把自己摔进大汤碗里！
大脚沮丧地说："我今天再也不会被绊倒了吧。"

10 不过，他又被绊倒了。

晚安，大脚！美美地睡一觉吧。

小红帽

很久很久以前有个小姑娘，她非常喜欢穿带风帽的红披风，所以大家都叫她小红帽。

小红帽和妈妈一起住在大森林边的一座小房子里。

一天，妈妈对她说："宝贝儿，外婆生病了，你给外婆送些点心去吧。"

妈妈把装满了曲奇饼干和蛋糕的篮子递给小红帽，嘱咐她说："路上千万别贪玩儿啊，天黑之前一定要回来！"

小红帽跟妈妈道别后，就提着篮子上路了。

小红帽沿着林间小路蹦蹦跳跳地走着。突然，一只老狼从树后面蹿了出来。小红帽吓了一大跳，差点把篮子扔在了地上。

老狼故意尖着嗓子笑眯眯地说："可爱的小姑娘，你这是要去哪儿啊？"

"我要把点心给生病的外婆送去。"小红帽回答说。

"那你外婆住在哪里啊？"老狼装出一副很有礼貌的样子。

"住在林子中间的那座白色小房子里。"小红帽有点儿害怕了。

"啊哈！"老狼说，"我知道那座房子。"

"我希望你外婆能快点儿好起来啊！"狡猾的老狼边说边朝树后面溜去。

小红帽见老狼走了，就继续赶路。

看着小红帽走远了，老狼赶忙蹿了出来，抄近路向小红帽的外婆家飞奔而去。他要赶在小红帽的前面。

老狼气喘吁吁地跑到外婆家的门前，敲了敲门。

"是谁啊？"外婆问。

"外婆，是我啊，小红帽。"老狼尖着嗓子回答，想让自己的声音听上去像小红帽。

"我亲爱的小宝贝儿，推开门自己进来吧。"外婆说。

老狼进来了。

他一下子跳到外婆身边，把外婆整个吞了下去。

凶残的老狼穿上外婆的睡衣，戴上睡帽，爬上床等小红帽来。

"她会把我当成她的外婆的。"老狼嗤嗤笑着自语道。

不一会儿，就有人在外面敲门。

"是谁啊？"老狼装作外婆的声音问。

"外婆，是我啊，小红帽。"小红帽回答。

"我亲爱的小宝贝儿，推开门自己进来吧。"老狼尖声说着。

小红帽推门进了屋，放下了她的篮子。

"小宝贝儿，过来让外婆看看你。"老狼说。

"呀，外婆！你的耳朵怎么这么大啊？"小红帽问。

"那是为了好好地听你说话呀，小宝贝儿。"老狼装出外婆的样子。

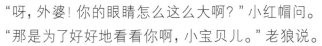

"呀，外婆！你的眼睛怎么这么大啊？"小红帽问。

"那是为了好好地看看你啊，小宝贝儿。"老狼说。

"呀，外婆！"小红帽问，"你的牙齿怎么这么大啊？"

"那是为了好好地吃你呀，我的小宝贝儿！"老狼号叫着，突然从床上跳了起来，想要抓住小红帽。

小红帽转身就往门外跑去，她一边跑一边大喊："救命啊！"

这时，有位强壮的樵夫在附近砍柴，听到呼救声马上冲了过去。

樵夫一下就砍掉了老狼的脑袋。老狼栽倒在地上死了。

　　樵夫看到好像有什么东西在老狼的肚子里动。
他剖开了老狼的肚子，救出了小红帽的外婆。
　　很幸运，贪心的老狼是把外婆整个儿吞进去
的。外婆并没有受伤，只是吓坏了。

　　樵夫把外婆背回了家，然后他们坐在
一起，开心地享用小红帽带来的点心。

　　外婆非常感谢樵夫救了她的命。太阳快下山
了，小红帽也该回家了。好心的樵夫把小红帽一直
送到了家里。这时，妈妈也做好了美味的晚餐。

墨菲警官和偷香蕉的贼

　　墨菲警官正在忙着指挥道路交通。这时糊涂老黑从超市里冲了出来，他偷了一大串香蕉，正想逃跑呢！

　　墨菲，快看！ 他还要偷你的摩托车！

　　墨菲气得暴跳如雷。

　　小屁孩儿和蚯蚓爬爬刚好经过，小屁孩儿对墨菲说："快骑上我的自行车去追他。"

　　他们骑上上车，去追那个大坏蛋。

马路上人来车往，大家都忙着赶路。墨菲警官、
小屁孩儿，还有爬爬穿过拥挤的街道。
"嗨，你没在大街上骑过车呀！"

就在这时，刚好有船要通过，所以吊桥打开了。
墨菲警官他们顾不了那么多，驾车直接冲过吊桥。

27

今日
特价菜
🍌
香蕉汤

糊涂老黑撞到消防栓上，被甩进了路边的饭店。

墨菲警官对饭店老板路易先生说："我正在抓一个窃贼，请你帮帮忙！"
他们一起把整个饭店找了个遍，却没有找到糊涂老黑。
路易先生说："坐下来歇一歇，墨菲警官。我给你们弄点好吃的来。"

最好把香蕉皮捡起来，不然该有人滑倒了。

路易先生给他们端来了一大碗香蕉汤。

爬爬肯定地说："我敢打赌，糊涂老黑这会儿一定还待在这儿。"

"吃饭前可不能忘记洗手！"墨菲警官说。

于是，他们起身去了洗手间。爬爬也跟去了。

当他们回来的时候，发现他们的那张桌子不见了！

那张桌子正在偷偷地溜走……突然，它踩到了香蕉皮，一下子滑倒了。

呵呵，猜猜看，是谁躲在桌子底下呢？

墨菲警官，我们为你骄傲！

糊涂老黑肯定要受到惩罚。他应该明白，偷别人的东西是可耻的。

29

倒霉的一天

浣熊先生睁开双眼。"起床啦，亲爱的！"
他对浣熊太太说，"今天的天气真不错啊。"

他去洗脸、刷牙。刚一拧，水龙头就掉了下来。
"给万能修先生打电话吧，亲爱的。"浣熊先生说。

他坐下来吃早饭，结果把面包烤煳了。
浣熊太太把熏肉也煎煳了。

浣熊太太让他去买晚餐吃的东西。他刚要
出门，门就掉了下来。

浣熊先生开车走到半
路，一个轮胎瘪了。

他正修轮胎呢，裤子又裂开了。

当他重新上路时，汽车发动机又坏
了，这回车子没法开了。

浣熊先生决定步行。忽然
一阵风刮跑了他的帽子。

追帽子的时候，浣熊先生掉进了正在检修的下水道。

当他爬出来的时候，又一头撞上了路灯杆。

警察对浣熊先生大声喊叫，因为路灯杆都被他撞弯了。

"我得加倍小心了。"浣熊先生自言自语道，"真是倒霉的一天。"

浣熊先生急匆匆地赶路，结果又撞上了兔子太太。篮子里的鸡蛋全摔到地上了。

警察给浣熊先生开了罚单，处罚他把垃圾丢在人行道上。

这时，浣熊先生的朋友疣猪先生从后面走上来，使劲儿拍了一下他的肩膀。

疣猪先生，别拍得那么重呀！

"走吧！"疣猪先生说，"我们去吃午饭吧。"

疣猪先生大口大口地吃着。
谁见过比他更难看的吃相吗？
把帽子摘掉吧，疣猪先生！

疣猪先生吃完后，没付钱就走了。
浣熊先生只好替他付钱。
瞧瞧，他用了多少碟子呀！

这顿午饭花光了浣熊先生身上所有的钱。"今天我还会遇到什么倒霉事儿啊？"浣熊先生想。

噢……还有一件事儿就是他的皮带扣钩住了桌布。

"你再也别来了！"服务员大声嚷着。

"我得尽快回家，"浣熊先生嘟囔着，"再也不想碰上什么麻烦了。"

他回到家时，万能修先生正要离开。水龙头是装上了，但又发现了新的漏水的地方。

"真是不好意思，我明天再来接着修。"万能修先生抱歉地说。

浣熊太太问丈夫："我要的东西买回来了吗？晚饭咱们得吃点热乎的。"

哦，他当然没买到。晚饭他们只好吃冰凉的腌黄瓜了。

吃完晚饭，他们上楼去睡觉。

"倒霉的一天终于过去了，该不会再有什么麻烦了吧。"浣熊先生边上床边说。

噢，天哪，床塌了！老天保佑浣熊先生明天能过得好一些！

五只小猪

一只小猪逛超市。

一只小猪做家务。

一只小猪吃烤肉。

一只小猪盘空空。

还有一只呜呜哭:"呜——呜——呜,
找不到了回家路。"

布莱梅镇的音乐家

从前，有一头叫丹柯的驴子，他决定要去布莱梅镇上做一名音乐家。

丹柯正准备赶路，遇到了戴维狗，他们一起聊了起来。

"你这是要去哪儿啊？"戴维问道。

"我要去布莱梅镇做一名音乐家。"丹柯回答。

戴维也想去布莱梅镇做一名音乐家，于是他们就
一同上路了。

　　丹柯和戴维一边走，一边哼着欢快的二重唱。"嗯啊——嗯啊，汪——汪——汪。"狗叫驴叫一起唱。

　　这时凯蒂猫听到了他们的歌声，便跑过来问："你们这是要去哪儿啊？"

　　丹柯和戴维就把自己的计划告诉了她，凯蒂也决定要到布莱梅镇去做音乐家。

　　现在变成了三人行，他们边走边唱，多么欢快的三重唱啊！

　　三个音乐家还没走出多远，就遇到了公鸡诺克。诺克听了他们的计划也想去，就问道："我能加入你们吗？我也会唱歌的，喔喔喔——呵呵呵——公鸡我在唱歌！"

　　他们当然欢迎诺克的加入，于是四个朋友一同前往布莱梅镇。

但是去布莱梅镇的路实在是太远了。

天黑了，他们迷路了。走了这么长的路，四个人都是又累又饿。

忽然，他们看见远处有一座亮着灯的房子。

"也许我们在那里能找到吃的东西和睡觉的地方，"丹柯说，"但不知道住在里面的人会不会对我们很友好。"

四个人蹑手蹑脚地溜到房子旁边。

丹柯的个子最高，他偷偷向窗子里望去。

"你都看见什么了？"凯蒂问。

"嘘！我看见了四个强盗！"丹柯转头小声说道，
"强盗们正坐在桌子旁边，享用丰盛的晚餐呢。屋子
里堆满了他们偷来的宝物。"

"我们必须想个办法把强盗赶走。"戴维说。

音乐家们实在是饿坏了，他们也想吃丰盛的晚餐。那些食物本来也不属于强盗，因为都是他们偷来的。于是，四个音乐家想出了一个主意。

戴维跳到了丹柯的背上。
凯蒂爬到戴维的背上。
诺克又飞到凯蒂的背上。
"喔——喔——喔——"诺克大叫着；
"喵——喵——喵——"凯蒂大叫着；
"汪——汪——汪——"戴维大叫着；
"嗯啊——嗯啊——嗯啊——"丹柯叫得更卖力。

那声音真是难听又可怕到了极点！
最好一辈子也不要听见！

39

强盗们被吓得从椅子上跳了起来！他们想，一定是怪兽跑来吃他们了。
四个强盗慌慌张张地冲了出去，飞快地向林子深处逃去。

四个音乐家大摇大摆地走进了屋子，
开始吃强盗们留下的晚餐。
哇，味道真是好极了！

吃过晚饭，他们熄了灯，躺下来美美地睡大觉。

这时已经是深夜了，强盗们看见屋子里又黑又静，觉得很奇怪。

"真不该这么容易就被吓坏，"强盗头子瓜巴夫说，"得有个人溜回去看看现在安全了吗，我们总得回去睡觉啊。"

不过瓜巴夫自己可不敢去，他实在是太害怕了，于是就派断牙路易回去。

屋子里面一团漆黑，断牙路易吓得浑身发抖。

他摸索着想点一根蜡烛，没想到被凯蒂绊了一跤。凯蒂被弄醒了，立即跳起来挠了断牙路易一爪子。

断牙路易被吓得丢了魂儿，飞快地向门口逃窜。躲在门口的戴维在他腿上狠狠咬了一口，丹柯也重重地踹了他一脚。

诺克这时也醒了，开始放声大喊："喔喔喔——呵呵呵——公鸡我在唱歌。"

断牙路易飞快地逃回林子里。

"我们快逃吧!"路易哭喊着,"屋子里的那伙怪兽太可怕了!一个女巫飞起来抓了我一下,食人魔鬼刺了我一刀,巨人拿棒子打我,而且一直有一个可怕的声音尖叫着'哦哦哦——呵呵呵——强盗我杀得多!'"

四个强盗听完后飞快地逃跑了,从此他们再也不敢靠近那座房子了。

音乐家们非常喜欢那座房子,便决定留下来一起生活。

如果哪天你刚好从他们的窗前经过,就会听到四个朋友总是哼唱着快活而甜蜜的曲子。

冒失鬼

冒失鬼喜欢带儿子忙飞飞坐着他的快艇去兜风。哦，天哪！冒失鬼简直是自作聪明嘛！

有一次，他撞上了一艘帆船，把兔爸爸从驾驶座震到了天上，小兔艾萝萝也吓坏了。

喂，看看你干的好事！

还有一次，冒失鬼和一艘游艇撞上了，把猫女士的洗衣篮撞进了海里。忙飞飞！你怎么不阻止爸爸，让他别开得这么快，多危险啊！

可冒失鬼就是慢不下来，他不停地东撞西撞。

停住！

大嘴警官抓到了冒失鬼，这下他可没办法再干那些冒失事儿了。

大嘴警官命令冒失鬼把快艇拴在浅水池里，
这个池子是在陆地上挖出来的。

以后，冒失鬼想开多快都可以。不过，他再也
不会撞上别人了。

可是，那艘小快艇上的是谁呢？
啊，是他儿子忙飞飞！
天哪！我们还要再挖一个浅水池。
拦住他，大嘴警官！

临时保姆

熊妈妈看到沃尔夫、本尼和汉斯经过门前，就跑出来说：
"我的家里乱得一团糟，需要彻底打扫一下。我去买肥皂的时候，你们可以帮我照看一下儿子罗伯特吗？"

沃尔夫、本尼和汉斯都同意留下来陪罗伯特玩游戏。

过了一会儿，他们玩累了。汉斯说："我有个主意，咱们做软糖吧。"
熊妈妈肯定不同意他们玩这个！

他们把所有的东西都搅和在一起，然后倒在托盘里。
你相信他们真的知道怎么做软糖吗？

然后呢，他们都坐在餐桌旁，等着软糖烤好。

咕咕，噗噗！噗噗，咕咕！
好像有什么东西在冒泡呢！

砰！
炉子门被顶开了！
软糖爆炸了！

快跑啊！

蚯蚓爬爬跑向电话。

"救命啊!" 他喊道,"软糖不停地长,要把我们的房子充满了!"

大家小心啊!消防员飞速赶来了!他们来得可真快呀!

哎呀,爬爬,**别着急!** 消防员还没有装上水管呢!

很快，软糖都被水冲出了房子，还有其他零零碎碎的
东西也跟着冲出来了。

噢，你看！谁来了？

哎呀，是熊妈妈！快，伙计们！

在她到家之前把房间清理好，东西都放回原处啊！

呵呵，他们干得真快！

"我从没见家里这么整洁过，"熊妈妈说，"我们应该举行个聚会，谁想做软糖呀？"

爬爬马上回答说："还是您做比较好，熊妈妈。"

于是，熊妈妈做了软糖。大家在最整洁的房子里，吃到了最好吃的软糖。

心不在焉的兔先生

兔先生一边走路一边看报纸。这时，工人们正忙着修路呢，路上的沥青还没有干，又热又黏。

兔先生专心致志地看着报纸，根本没有注意到在修路。大家都冲兔先生喊，让他别往前走，可惜他一点儿都没听见。这下可麻烦了。

兔先生终于不再看报纸了，他低头看着脚下。呜呜，他发现自己的脚全都粘在又热又黏的路上了！怎么办呀！

工人们拿来一根长杆子，想把兔先生挑起来。可是不管用。

一辆卡车想用绳子把他拉出来。

没用的！他还是粘在那儿！

大家想到用巨大的风扇把他吹出来。

风扇吹跑了帽子、外套……可是兔先生还粘在那儿。

几个消防员想用水把他冲出来。

他们朝兔先生喷水……可还是不管用——**他根本没有动！**

谁能想办法把兔先生弄出来啊！

啊哈！来了一辆铲土机！
我们看看它有什么办法。

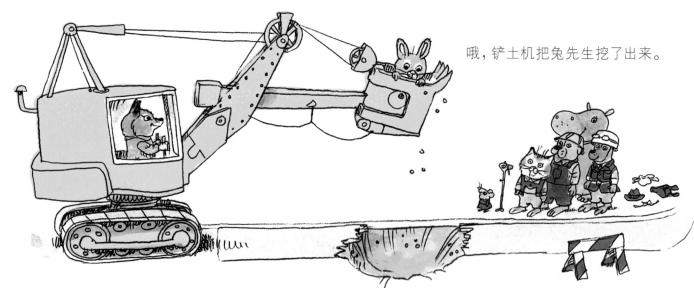

哦，铲土机把兔先生挖了出来。

当然啦，兔先生回到家得先去洗脚。不管怎么样，他
现在可算是得救了。

兔先生穿上衣服，谢过了大家。他保证从此以后走到
哪儿都会好好看路的。

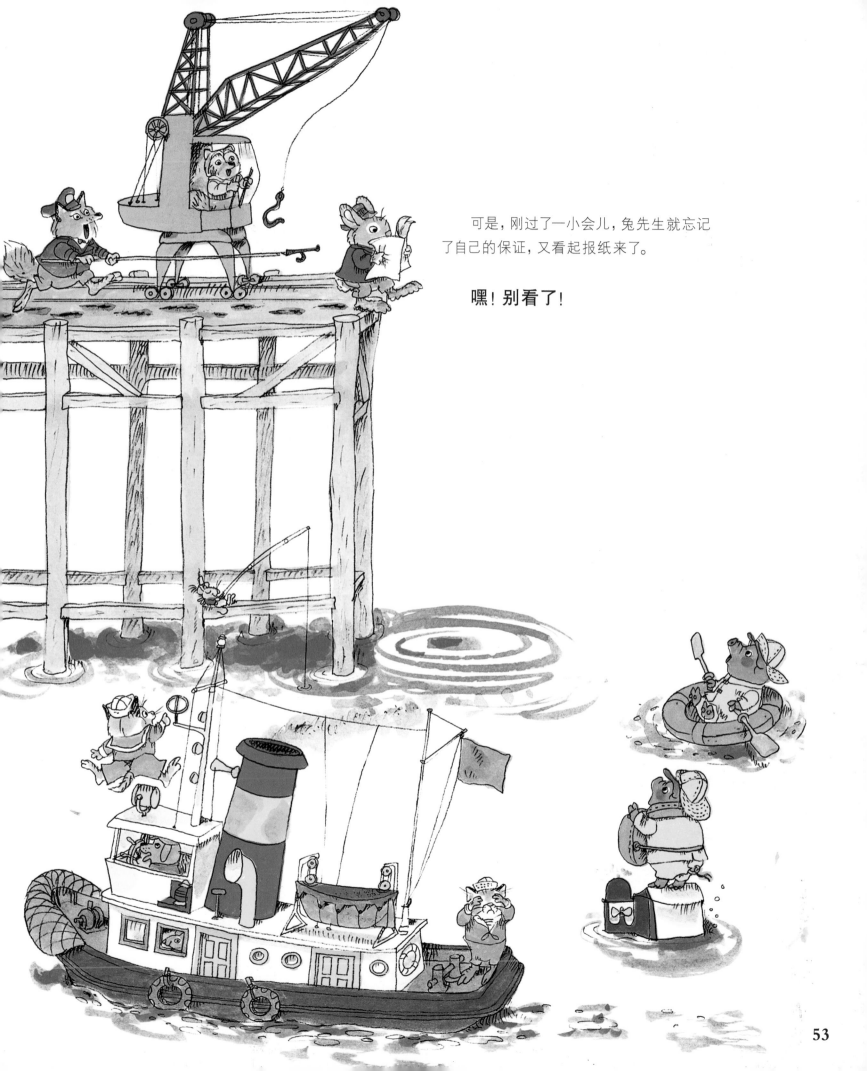

可是，刚过了一小会儿，兔先生就忘记了自己的保证，又看起报纸来了。

嘿！别看了！

交通事故

哈维正在路上洋洋得意地开着他的新敞篷车。
哎，哈维，看路哟！

噢！他不看路，结果呢，发生交通事故了，
和一辆出租车撞了个正着。

墨菲警官骑着摩托车赶来。
"你们都到人行道上去，"他说，"谁也不许在马路上吵架。"
于是，他们就走到了人行道上。

54

真是不凑巧!
就在这个时候,摇头晃脑先生开着推土机过来了。
"太抱歉了,"他说,"我没有注意。"

我的摩托车!

我的新敞篷车!

墨菲,吵吵什么呢?

好吧,现在大家都安静了!
汽车修理部的修理工油脂麻花先生来了。

拜拜,墨菲!

你弄坏的我修好

油脂麻花修理部

人行横道

油脂麻花先生拖走了所有被撞坏的车辆。
"我会把它们修得和新的一样,"他说,"一个星期后来取吧。"

油脂麻花先生日夜不停地修理，要让每样东西都变得跟新的一样。
站远点，小屁孩儿和蚯蚓爬爬，别离他太近！

油脂麻花先生确实没说大话！
大家来取车的时候，看到每辆车都跟新的一样！

不过这是怎么回事，油脂麻花
先生，有的地方好像被你弄混了。

我的敞篷车呀！

呼叫墨菲警官！
你的女儿布里奇不肯睡午觉！
赶快回家！

猪妈妈的新车

猪爸爸买了辆新车,准备送给猪妈妈作生日礼物。
猪妈妈看到这辆新车,一定会特别高兴。

回家的路上,猪爸爸去了一趟药店。
等他出来时,错上了一辆吉普车。
哈利和萨莉还以为爸爸和士兵换了车呢,兴高采烈地坐在后座上看风景。

小偷,站住!

猪爸爸开着吉普车又去了一趟超市。
等他出来时,带着哈利和萨莉上了一辆警车。
"爸爸,真带劲!"哈利说。可是猪爸爸根本没听见,真不知道他在想什么。

猪爸爸又开车去水果摊买了些苹果。

离开时，他带着哈利和萨莉上了农夫福克斯的拖拉机。

猪爸爸可真是心不在焉啊。

"妈妈肯定会喜欢她的新拖拉机的。"萨莉对哈利说。

前方着火了，道路被封锁。直到大火被扑灭了，

他们才离开——猪爸爸开走了消防车！

天啊！谁会出这么多错呀！

路过一个建筑工地的时候，他们停下来看工人们挖坑。

猪爸爸虽然没有上装卸卡车！可是，他还是出错了，他……

嗨，乔！
你忘熄火了！

……他上了罗杰的铲土车！！
猪妈妈看到她的"新车"一定会很惊讶！
可是，猪爸爸，你知道怎么停铲土车吗？

有像猪爸爸这样停车的吗？
噢！这时罗杰来了。
他找到了猪妈妈的新车，把它给带来了。
看起来他对那个开走铲土车的家伙很生气。

罗杰！请你小心些！
你都快把猪妈妈的新车夹碎了！
噢，我们希望猪爸爸以后别再出这么多错了！

图书在版编目（CIP）数据

斯凯瑞最受欢迎的故事 / （美）斯凯瑞著；李晓平译.

— 贵阳：贵州人民出版社，2007.4

（蒲公英图画书馆. 金色童书系列）

ISBN 978-7-221-07706-6

Ⅰ . 斯··· Ⅱ . ①斯··· ②李··· Ⅲ . 故事课—学前教育—教学参考资料 Ⅳ . G613.3

中国版本图书馆CIP数据核字（2007）第 037938 号

斯凯瑞最受欢迎的故事

著 / [美]理查德·斯凯瑞

译 / 李晓平

策划 / 远流经典

执行策划 / 颜小鹂

责任编辑 / 苏 桦 颜小鹂

美术编辑 / RINKONG平面设计工作室

责任印制 / 孙德恒

出版发行 / 贵州出版集团 贵州人民出版社

地址 / 贵阳市中华北路289号 电话 / 010-85805785（编辑部）

印刷 / 北京中科印刷有限公司（010-69590320）

版次 / 2008年3月第二版 印次 / 2015年5月第十八次印刷

成品尺寸 / 250mm×285mm 印张 / 5 定价 / 19.80元

蒲公英童书馆官方微博 / weibo.com/poogoyo

蒲公英童书馆微信公众号 / pugongyingkids

蒲公英童书馆 / www.poogoyo.com

蒲公英检索号 / 070040404